PAYS & PEUPLES

CANADA

Lionel BENDER

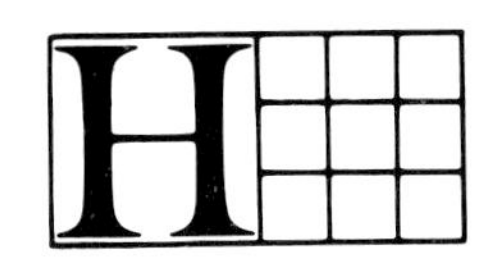

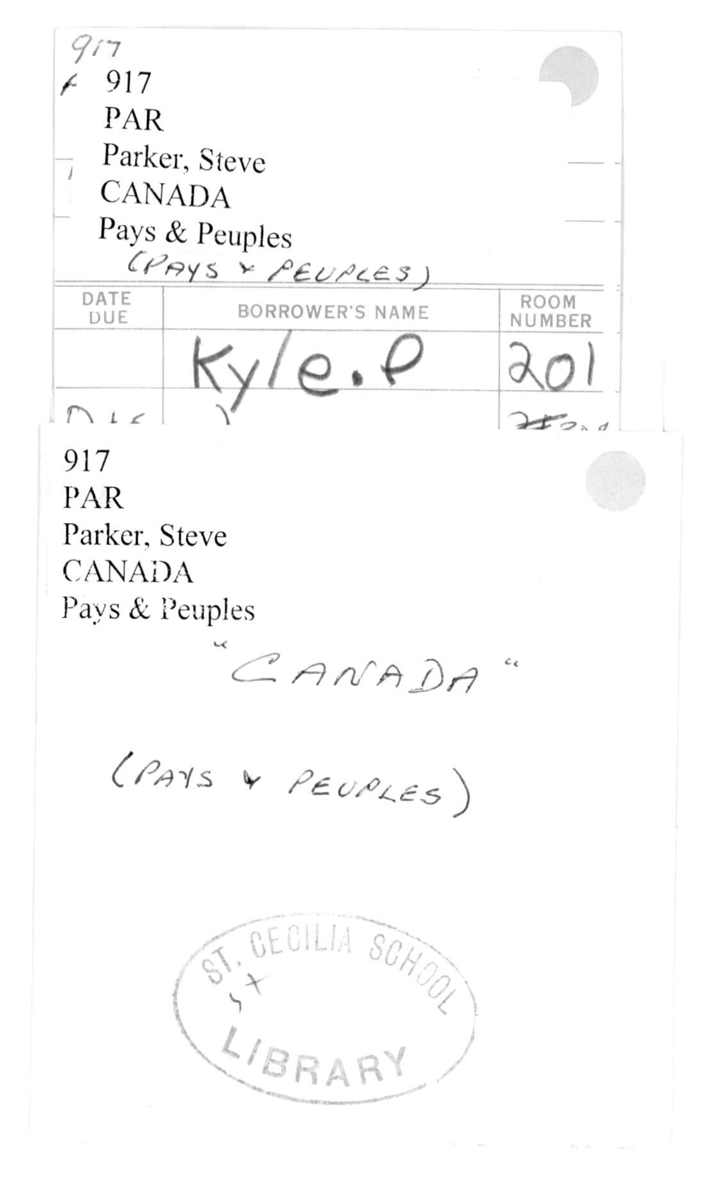

Rédacteur : Steve Parker
Conception : Patrick Nugent, Bridget Morley
Recherches iconographiques : Hugh Olliff

Studio : Kenneth Ward
Imprimé par L.E.G.O., Vicenza Italie
Consultant : Ann House

Illustrations : Ann Savage
Version française : Dorothée Varèze

ISBN 2-01-015046-5

SOMMAIRE

SITUATION GÉOGRAPHIQUE

Le Canada est par sa superficie le deuxième pays du monde, après l'U.R.S.S. Il est légèrement plus étendu que son voisin les États-Unis. Il est 18 fois plus grand que la France et quatre fois plus grand que la Communauté économique européenne. Il s'étend d'est en ouest sur 5 500 kilomètres et il couvre six des 24 fuseaux horaires de la terre.

Cet immense pays possède de vastes ensembles naturels parmi les plus impressionnants et les plus sauvages du monde. A l'ouest se trouvent les montagnes Rocheuses, avec le Mont Logan s'élevant à près de 6 000 mètres. Au nord, le vaste Bouclier canadien – autrefois recouvert de glaciers – est une région rocheuse parsemée de milliers de lacs, cours d'eau et marais. Dans le Grand Nord s'étendent les paysages glaciaires de l'Arctique et les immenses îles gelées de l'océan Glacial Arctique. La plupart des Canadiens vivent dans le sud du pays, car le nord trop froid est inhospitalier. La majorité des principales villes et agglomérations sont concentrées dans les plaines fertiles du sud, autour des grands lacs, et en bordure de la voie maritime du Saint-Laurent.

La cordillère de l'ouest
D'épaisses forêts et des plateaux bordent la côte escarpée de l'ouest. A l'extrême nord-ouest, la mer est recouverte par la banquise et le sol est gelé toute l'année. Cette région s'étend en bordure de l'Alaska, qui fait partie du territoire des États-Unis.

U.S.A. (Alaska)

Yukon

Whitehorse

Emblèmes du Canada

La feuille d'érable rouge, représentée sur ce drapeau, est l'emblème national du Canada. Jusqu'en 1965, le drapeau était le pavillon rouge britannique portant un blason canadien. Le drapeau actuel, orné de la feuille d'érable, exprime la volonté d'indépendance des canadiens.

Les îles de l'Arctique
Ces grandes îles sauvages et dénudées sont couvertes de neige et de glace une grande partie de l'année.

Les Grandes Plaines
Au nord, les Plaines dénudées au sol gelé sont impropres à toute culture. Plus au sud, la région des Plaines est couverte d'herbes sèches, ou de steppe.
Ce sont les terres à blé, situées au centre du pays, qui font du Canada un des grands producteurs du monde de céréales.

Le Bouclier canadien
Le Bouclier est une région de collines boisées, de fleuves et de lacs. Les couches rocheuses qui forment le Bouclier sont parmi les plus anciennes du monde. Leur formation remonte à plus de 600 millions d'années. Autrefois, de grands glaciers recouvraient cette région ; ils ont modelé le relief où dominent les formes arrondies.

Points de repère

- La superficie du territoire canadien est de 9 976 000 kilomètres carrés.
- On compte environ 26 millions de Canadiens.
- La capitale est Ottawa.
- Les deux langues officielles sont l'anglais et le français.
- Le plus grand fleuve canadien est le fleuve Mackenzie, qui avec 4 200 km est le douzième fleuve du monde.
- Le Mont Logan (5 951 mètres), dans le Yukon, est le point culminant du Canada.
- La monnaie est le dollar canadien. Chaque dollar est divisé en 100 cents.

HIVERS LONGS, ÉTÉS COURTS

La vie au Canada est fortement liée au climat. Au printemps et en automne, l'air est généralement vif et frais. Les étés sont courts et chauds, quelquefois très chauds. Les hivers sont habituellement longs et très froids.

L'hiver, le sol peut être couvert de neige pendant six mois ou plus. Les fleuves et les lacs sont entièrement gelés. Mais les maisons et les immeubles sont bien isolés et les routes principales et les lignes de chemin de fer sont maintenues en service grâce au travail incessant des chasse-neige.

Le printemps est l'époque du grand dégel. Bien que l'hiver, la vie et les principales activités continuent, les Canadiens éprouvent un véritable soulagement au retour du printemps : la nature émerge de son long sommeil hivernal. Les cultivateurs peuvent de nouveau cultiver la terre : le pays retrouve toute sa vitalité.

L'été est, pour les Canadiens, la saison la plus active de l'année. Tout le monde semble être de nouveau sur pied. Il fait chaud : dans certaines régions, la température peut monter jusqu'à 40 degrés et beaucoup de bureaux, d'écoles et de maisons sont climatisés. Dans les plaines centrales, l'été amène parfois des ouragans et des tornades qui endommagent les constructions et les récoltes.

L'automne est une saison très colorée : les feuilles des arbres, en particulier celles des érables, prennent des tons rouges, dorés, jaunes et bruns. La belle saison se prolonge souvent en automne : c'est l'« été indien », pendant lequel certains prennent leurs vacances avant que l'hiver ne s'installe.

Points de repère

- A Montréal, la température moyenne de janvier est de moins 10 degrés. En juillet, la moyenne est de 21 degrés.
- L'hiver, dans le Grand Nord, la température peut descendre au-dessous de moins 60 degrés.
- L'été, dans le Sud, la température peut dépasser 40 degrés.
- Le *chinook* est un vent chaud soufflant des montagnes Rocheuses vers les plaines de l'est. En quelques heures, il peut faire remonter la température de moins cinq à plus vingt degrés, entraînant un dégel immédiat et des inondations importantes.

L'année de la sécheresse
En 1980, le Canada connut, à la fin de l'été, une longue vague de sécheresse. Les dégâts causés par les incendies de forêts et la perte des récoltes due au manque d'eau coûtèrent énormément au pays.

Les vêtements d'hiver
Pour affronter l'hiver canadien, il est indispensable de s'habiller très chaudement. Les gens portent des bottes fourrées, des gants, des toques avec rabats pour les oreilles et des manteaux épais ou des parkas.
Parka est un mot d'origine esquimaude : c'est un manteau en peau de caribou que les Inuits (les Esquimaux) portaient l'hiver. Ce mot est maintenant utilisé pour désigner divers types de manteaux à capuche bordée de fourrure, comme celui que l'on voit sur cette photo.

Des fleurs en hiver
Le climat de la côte ouest du Canada est le plus doux du pays. En janvier, la température moyenne est de 3 degrés et, en juillet, de 18 degrés. Il pleut beaucoup. A Vancouver, il arrive que la végétation soit en fleur au moment de Noël. Ces fleurs d'hiver sont celles des jardins Butchart à Victoria.

LES DIX PROVINCES

Au XVIIIe et au XIXe siècle, le Canada fut peuplé par des colons venus d'Europe, surtout des Anglais et des Français. Mais les implantations coloniales étaient dispersées et éloignées les unes des autres. Les déplacements étaient lents et l'hiver, ils devenaient presque impossibles. En 1885 fut achevée la construction du chemin de fer canadien du Pacifique (Canadian Pacific Railway). Cette ligne de chemin de fer permit de relier la côte est à la côte ouest. Les colons sortirent alors de leur isolement.

Aujourd'hui, le Canada est un pays autonome. Il fait cependant partie du Commonwealth : la reine d'Angleterre est le chef de l'État. La nation canadienne est constituée de dix provinces et de deux territoires. Chaque province a son propre gouvernement qui contrôle de nombreux secteurs, en particulier les voies de communication et l'éducation.

En 1867, le Québec, l'Ontario, la Nouvelle Écosse et le Nouveau Brunswick furent les premières provinces à se réunir et à se donner un gouvernement. Au cours des quatre années qui suivirent, le Manitoba et la Colombie britannique se joignirent à elles. Le nouveau pays s'étendait ainsi d'un océan à l'autre. En 1905, le Canada regroupait neuf provinces. En 1949, une dixième province, Terre-Neuve, est entrée dans la Confédération canadienne.

Terre-Neuve : première et dernière
Terre-Neuve fut la première colonie britannique : l'explorateur John Cabot y débarqua en 1497. Le roi Henry VIII d'Angleterre avait envoyé Cabot à la découverte de nouveaux territoires et de richesses que l'on imaginait fabuleuses. Cabot (ci-dessus) crut avoir atteint la côte du nord-est de l'Asie ! En 1949, Terre-Neuve fut la dernière province à rejoindre la Confédération canadienne.

La Police « montée »
Dans les années 1870, les colons commencèrent à se déplacer vers l'ouest du territoire canadien. Le gouvernement créa un corps de police, les Agents Montés du Nord-Ouest, afin de maintenir l'ordre et de faire respecter la loi dans ces régions éloignées. Appelés aujourd'hui officiellement « Agents Montés de la Police royale canadienne », ils sont les seuls représentants de la loi dans le Yukon et dans les territoires du Nord-Ouest.

Les frontières du Nord
Outre les dix provinces, deux territoires appartiennent au Canada : le territoire du Yukon et les territoires du Nord-Ouest. En grande partie inhabités, ils constituent les dernières zones véritablement sauvages du pays.

La formation du Canada
La carte représente les dix provinces canadiennes et les deux territoires, avec leurs capitales. Les territoires du Nord-Ouest couvrent près de 3 400 000 kilomètres carrés. La province la plus étendue est le Québec, avec 1 540 680 kilomètres carrés. La plus petite est l'île du Prince Édouard qui ne fait que 5 660 kilomètres carrés. Environ un tiers de la population vit dans l'Ontario.

DE LA PRAIRIE A LA BANQUISE

On distingue quatre grands ensembles naturels au Canada :

La forêt couvre près de la moitié du pays. A l'est poussent des érables et des chênes, tandis que le centre est le domaine des conifères, pins et sapins. Les élans, les cerfs, les ours, les castors, les martres et les loups vivent en liberté dans la plupart des grandes forêts.

La toundra arctique occupe le nord du pays. Il y fait trop froid pour permettre aux arbres de pousser. Le sol est couvert d'herbes et de fleurs pendant la courte saison d'été. Le reste de l'année, la toundra devient le domaine de la neige et de la glace. De grands troupeaux de caribous y vivent, se nourrissant de lichens et de mousses.

Les régions montagneuses – les Rocheuses à l'ouest et les Appalaches à l'est – constituent le troisième ensemble naturel où l'on trouve une faune variée : chèvres des montagnes Rocheuses, grizzlis, couguars et des oiseaux comme les aigles, les perdrix et les grouses.

Les prairies formaient le quatrième ensemble. Aujourd'hui, l'agriculture a largement bouleversé la faune et la flore de ces régions. Les renards, les cerfs et les ours ont appris à vivre dans le voisinage des hommes. Mais les grandes étendues herbeuses et sauvages avec leurs hordes de bisons ont depuis longtemps disparu.

La chasse
Dans un pays aussi vaste que le Canada, la chasse se pratique sans trop de risques de menacer la survie des espèces animales. Mais les règles sont strictes. Les chasseurs, obligatoirement munis d'une licence gouvernementale, doivent souvent se faire accompagner d'un guide. Ces guides font en sorte que les chasseurs ne détruisent pas la flore et ne dérangent pas les animaux à l'époque de la reproduction. En automne, beaucoup de Canadiens chassent non seulement par goût du sport, mais aussi pour avoir du gibier. Ils rapportent du chevreuil, du lapin, de l'élan qui vont remplir le congélateur familial !

Caribou en train de brouter

Les animaux de l'Arctique

Les animaux des îles et des rivages de l'océan Glacial Arctique sont adaptés au milieu polaire. Les phoques, les morses, les ours polaires (voir photo) ne craignent pas les glaces de la banquise, ni les eaux glaciales.
Les baleines, dont la baleine belouga (baleine blanche), se rencontrent encore. Malheureusement, elles sont beaucoup plus rares qu'il y a cent ans, bien que la pêche à la baleine dans les eaux canadiennes ait presque cessé depuis les années quarante.

Les parcs nationaux

Le premier parc national du Canada fut créé à Banff, dans les Rocheuses, pour préserver la région et son équilibre naturel. Il y a maintenant 34 parcs de toutes tailles, du plus petit dans les îles Saint-Laurent, un groupe de 18 îles boisées, au parc de Wood Buffalo, avec ses 44 800 kilomètres carrés, à la frontière de l'Alberta et des territoires du Nord-Ouest. Wood Buffalo est une des plus grandes réserves naturelles du monde. C'est une zone protégée pour les quelques 8 000 bisons qui y vivent.

LES RESSOURCES NATURELLES

Le Canada abonde en ressources naturelles : métaux, charbon, pétrole et bois. Certaines de ces ressources sont utilisées sur place par l'industrie canadienne, mais des quantités considérables de minerais et de bois sont exportées. Le Canada est l'un des premiers producteurs mondiaux de fer, de nickel, d'argent, de zinc, d'uranium et d'amiante. La plupart de ces minerais sont extraits des mines situées dans la région du Bouclier canadien. Au centre, dans les grandes plaines, le sous-sol renferme d'importantes réserves de pétrole et de gaz naturel.

Le bois et l'eau figurent parmi les plus grandes richesses naturelles du pays. Les forêts du Canada fournissent des bois de construction, des contre-plaqués pour l'ébénisterie et de la pâte à papier pour fabriquer des cartons, des emballages ou du papier journal.

Le Canada possède de gigantesques réserves d'eau douce. Les cours d'eau de montagne et les chutes d'eau actionnent des turbines qui produisent d'énormes quantités d'énergie hydraulique, principale source d'électricité du pays.

La pêche est la plus ancienne activité du Canada. Pendant des siècles, les Inuits (Esquimaux) ont pêché poissons et baleines dans les eaux de l'Arctique. De nos jours, d'importantes flottes de pêche pratiquent la pêche au saumon, à la morue, à l'aiglefin et au hareng le long des côtes.

L'énergie hydro-électrique
Les chutes du Niagara, à l'extrême nord du lac Erié, se trouvent à la frontière du Canada et des États-Unis. L'île de la Chèvre sépare les chutes de Horseshoe, en territoire canadien, des chutes américaines. Les deux pays ont construit près de ces chutes d'eau des centrales hydrauliques qui fournissent une grande quantité d'électricité. A Horseshoe (voir photo page de droite), les eaux tombent de 54 m sur une longueur de 675 mètres.

L'énergie nucléaire
La nature permet au Canada de produire presque toute l'énergie nécessaire à sa consommation (hydro-électricité, pétrole, gaz). Dans les années soixante, les ingénieurs canadiens ont mis au point les centrales nucléaires du programme CANDU (CANada, Deuterium et Uranium), alimentées par de l'uranium extrait du sous-sol canadien.

La ruée vers l'or
En 1896, on découvrit de l'or dans la zone du Klondike, un fleuve du Yukon. Plus de 100 000 personnes s'y précipitèrent dans l'espoir de faire fortune. Dawson, un village de pêcheurs indiens, au cœur de la région aurifère, devint subitement une ville trépidante. Mais, dès 1910, la majeure partie de l'or avait été extraite et l'exploitation cessa. Ci-contre, un campement de chercheurs d'or vers 1900.

Forêts de sapins
Le Canada est le premier producteur mondial de papier journal. Une grande partie de cette production est exportée. Près de la moitié des journaux nord-américains et européens sont imprimés sur du papier canadien.
La majeure partie du bois de qualité supérieure produite au Canada est utilisée dans la construction et pour la fabrication de meubles.
Il provient souvent des sapins Douglas (comme ceux que l'on peut voir sur cette photo), qui peuvent dépasser 60 mètres de haut.

LES CANADIENS FRANÇAIS

En 1534, l'explorateur français Jacques Cartier remonta le Saint-Laurent jusqu'à l'actuelle ville de Québec. Il revendiqua, au nom de son pays, la propriété de toutes les terres de la région et nomma ce territoire *Nouvelle France*. Mais des colons britanniques arrivèrent également sur ces terres. La lutte s'engagea entre les Français et les Anglais, pour le contrôle de la région. Elle dura plus de deux siècles. Finalement, par le traité de Paris, signé en 1763, la France céda le Canada à la Grande-Bretagne. Les colons français obtinrent le droit de vivre dans la partie est du Bas Canada (voir page 29).

De nos jours, le Bas Canada est la province de Québec. C'est une région encore imprégnée de traditions et de culture françaises. Partout, on parle le français, qui est utilisé sur les panneaux de signalisation, à la radio, à la télévision et à l'école. La ville de Québec, capitale de la province, ressemble à une ville française d'autrefois. Et Montréal, la plus grande ville de la province, est la deuxième ville francophone du monde. Mais les Canadiens français ont leurs traditions et leur originalité : les Québécois ont apporté et apportent beaucoup à la culture d'expression française.

Le château Frontenac
Cet imposant château, qui domine la ville de Québec, fut construit en 1647 par les Français pour résister aux Indiens, puis aux Anglais. En 1878, il fut transformé en hôtel. C'est actuellement la résidence d'été du Gouverneur général. La ville de Québec est la seule ville fortifiée d'Amérique du Nord.

Les Métis
Au XVIIIe siècle, beaucoup de trappeurs français vivant dans les prairies épousèrent des Indiennes. Leurs descendants, les Métis, appelés aussi « Bois-Brûlés », étaient d'habiles chasseurs de buffles.
Les Métis conservèrent la langue française et la religion catholique.
Lorsque l'arrivée de nouveaux colons devint une menace pour leurs conditions de vie, les Métis se révoltèrent. Il y eut deux rébellions, la première en 1870 et la seconde en 1885. Les Métis furent vaincus par les troupes officielles canadiennes. Leur chef, Louis Riel (portrait ci-dessus), fut pendu en 1885.
De nombreux Canadiens français le considèrent comme un héros.
Aujourd'hui, environ 100 000 descendants de Métis vivent au Canada.

Montréal
Montréal, fondée en 1642, sur une île du Saint-Laurent, est la deuxième ville du Canada après Toronto et le centre de l'activité du Québec francophone. En 1967, l'exposition universelle se tint à Montréal. La photo ci-contre représente une partie de l'ensemble *Habitat*, un groupe de 158 maisons insolites construites pour l'exposition. Les Jeux olympiques se déroulèrent également à Montréal en 1976.

La fête de saint Jean-Baptiste
Saint Jean-Baptiste est le patron du Québec dont la plupart des habitants sont catholiques. Une fête en son honneur a lieu chaque année, le 24 juin. Cette fête est désormais plus couramment désignée sous le nom de *Fête Nationale*. On allume des feux de joie et on danse dans les rues. Certains se déguisent ! A Montréal, les festivités durent sept jours.

L'ÉCONOMIE CANADIENNE

Ses nombreuses ressources naturelles font du Canada un pays riche. Beaucoup de Canadiens ont un niveau de vie très élevé. La grande plaine centrale, la Prairie, est le domaine de la culture des céréales. Les cultures fruitières sont parfaitement adaptées au climat de la Colombie britannique à l'Ouest. Dans les provinces du Nord-Est, la pêche et l'industrie forestière sont florissantes.

Au cours des trente dernières années, le Canada est devenu l'une des dix premières nations industrielles du monde. Aujourd'hui les industries de transformation et de fabrication produisent près de 5 fois plus de richesses que l'agriculture. Une personne sur cinq travaille dans l'industrie : dans les raffineries de pétrole, les aciéries et les usines qui produisent surtout des machines, des appareils électriques, des produits chimiques, des matières plastiques, du papier et des produits dérivés du bois.

Le tourisme connaît une croissance rapide. Il se développe plus vite que les autres activités. Les touristes viennent du monde entier pour admirer les paysages de montagnes, les lacs et les forêts. Les vacances en pleine nature sont particulièrement appréciées. Le secteur du tourisme et des loisirs emploie plus d'un million de personnes.

Points de repère

- Les cultures ne couvrent que 5 pour cent du territoire canadien ; moins de 5 pour cent de la population travaille dans l'agriculture.
- Le Canada est l'un des premiers producteurs de céréales du monde.
- Les deux tiers des usines du pays se trouvent au Québec et dans l'Ontario.
- Les trois quarts des Canadiens vivent dans les villes et les agglomérations urbaines.
- Aujourd'hui, un Canadien sur dix est au chômage.

La révolution de l'information

Le Canada est un des leaders mondiaux dans le domaine de l'électronique, plus particulièrement en ce qui concerne les télécommunications, les ordinateurs et les satellites. En 1978, le pays a adopté *Telidon*, un service informatisé de télévision couvrant l'ensemble du pays. En 1981, *Telidon* a été relié au quotidien de Montréal, *La Presse*. C'est ainsi que, pour la première fois au monde, fut créé un service d'information en français fonctionnant 24 heures sur 24.

Le principal centre industriel
La région des Grands Lacs est le « cœur » industriel du Canada. On y trouve d'immenses ports intérieurs et des villes industrielles, comme Kingston, Toronto et Hamilton. Des cargos géants traversent les lacs en direction des États-Unis. Sur la photo ci-dessus, des cargos céréaliers sont immobilisés dans les eaux gelées du lac Ontario.

Du blé à perte de vue
Plus des quatre cinquièmes des terres canadiennes cultivées se trouvent dans les provinces de la « prairie » : états du Manitoba, du Saskatchewan, de l'Alberta. Cette région produit chaque année plusieurs millions de tonnes de blé, d'orge, d'avoine, de soja et de graines de tournesol. Ces silos à grains se trouvent dans l'Alberta.

LES MOYENS DE COMMUNICATION

C'est grâce au développement du réseau de transport intérieur que le Canada a pu devenir une véritable nation. Ce réseau a permis le déplacement des hommes et le transport des marchandises dans un pays immense. Les fleuves et les lacs furent les premières voies de communication. Le Saint-Laurent offrit aux explorateurs la possibilité de pénétrer au cœur du Canada. Dès 1779, on construisit des canaux le long de ses rives, afin que les navires de fort tonnage puissent atteindre les Grands Lacs.
Montréal, le deuxième port intérieur du monde, fut édifié sur le fleuve, à mi-chemin entre les lacs et la mer. Au nord du pays, fleuves et lacs constituent encore les principales voies de communication pendant la période d'été (lorsqu'ils ne sont pas gelés).
La première liaison transcontinentale par chemin de fer date de 1887. Aujourd'hui, le réseau ferroviaire canadien fait plus de 97 000 kilomètres.
Le développement des chemins de fer a favorisé le peuplement de l'ouest du pays.
La plupart des Canadiens se déplacent maintenant par la route. Presque chaque famille a au moins une voiture. Des compagnies d'autocars, spécialistes des longs trajets, offrent le service de transport en commun le plus étendu du pays. Mais de plus en plus de déplacements s'effectuent par avion.
Les avions des lignes aériennes intérieures relient Montréal à Vancouver en moins de cinq heures.
De petits avions et des hélicoptères assurent les transports de voyageurs et de marchandises vers les régions les plus éloignées, que ne desservent ni routes ni voies ferrées.

Sur la route
Au Canada,
la vitesse est limitée à 100 kilomètres/heure sur les principales autoroutes et à 80 kilomètres/heure sur les autres routes. En hiver, il est indispensable d'équiper les voitures de pneus spéciaux ou de chaînes pour circuler sur les routes secondaires.
On n'utilise pas de voitures dans le Grand Nord, mais des véhicules spécialement conçus pour la neige.
Les petits scooters des neiges, les *skidoos* (voir ci-dessous) sont un moyen de transport individuel très répandu dans certaines régions.

Quatre jours pour traverser le Canada

De nos jours, le voyage en train de Montréal à Vancouver s'effectue en quatre jours seulement. A l'arrière de ce train qui traverse les Rocheuses se trouve un wagon panoramique.

La première autoroute mondiale

L'autoroute transcanadienne a été achevée en 1962. Elle fait près de 8 000 kilomètres de long, de Saint John's dans la province de Terre-Neuve jusqu'à Victoria en Colombie britannique. Cette autoroute relie entre elles les dix provinces canadiennes : elle est la plus longue autoroute intérieure du monde.

La première autoroute mondiale

Banff
Vancouver
Victoria
Winnipeg
Montréal
Saint John's

Voie Maritime du Saint-Laurent à Sault Sainte Marie, Ontario

La voie maritime du Saint-Laurent

La voie maritime du Saint-Laurent est un ensemble navigable constitué du fleuve (qui a été aménagé et élargi), des grands lacs et des canaux qui les relient, équipés de puissantes écluses.
Sa construction, achevée en 1959, est l'œuvre commune du Canada et des États-Unis. Près de 4 000 kilomètres séparent Thunder Bay, sur le lac Supérieur, de Québec, à l'embouchure de la voie maritime.

LA POPULATION CANADIENNE

Les Indiens et les Inuits (Esquimaux) sont les peuples les plus anciens du Canada. Il reste aujourd'hui 360 000 Indiens et 25 000 Inuits.

La population canadienne est, en grande partie, d'ascendance anglaise ou française. Dans neuf provinces sur dix, les Canadiens de langue anglaise sont majoritaires. Le Québec fait exception. Les Canadiens francophones représentent à peu près le quart de la population du pays.

Cependant, le Canada ne ressemble ni à l'Angleterre, ni à la France, ni même aux États-Unis. Les modes de vie y sont très variés. En effet, des centaines de milliers d'émigrants originaires d'Irlande, d'Allemagne, d'Ukraine, d'Italie, des Pays-Bas, de Pologne et des pays scandinaves sont venus au Canada au début de ce siècle à la recherche de travail. Ils s'y sont fixés en apportant les façons de vivre et de penser de leur pays d'origine. Mais ils ont progressivement transformé leurs habitudes pour fonder une culture originale.

Le Canada est dix fois moins peuplé que les États-Unis, bien que ces deux pays aient à peu près la même superficie. La densité du Canada n'est que de 2,5 habitants au kilomètre carré contre 25,5 aux États-Unis (en France, on compte en moyenne 100 habitants au kilomètre carré).

Les Indiens
Ils furent les premiers à peupler le Canada, il y a plus de 20 000 ans (voir p. 24). Les plus connus sont les Indiens des Plaines, qui chassaient le buffle. D'autres cultivaient aussi la terre. De nos jours, la plupart de ces « aborigènes » canadiens vivent dans des réserves où ils essaient de conserver leurs traditions.

La religion
Il n'y a pas de religion officielle au Canada. Chacun adopte la croyance de son choix. Mais près de la moitié de la population, dont la plupart des Canadiens français, est catholique. Les autres croyants sont membres des nombreuses églises anglicanes et protestantes, ou se réclament du Judaïsme ou de l'Eglise orthodoxe grecque. 7 pour cent se disent sans religion.

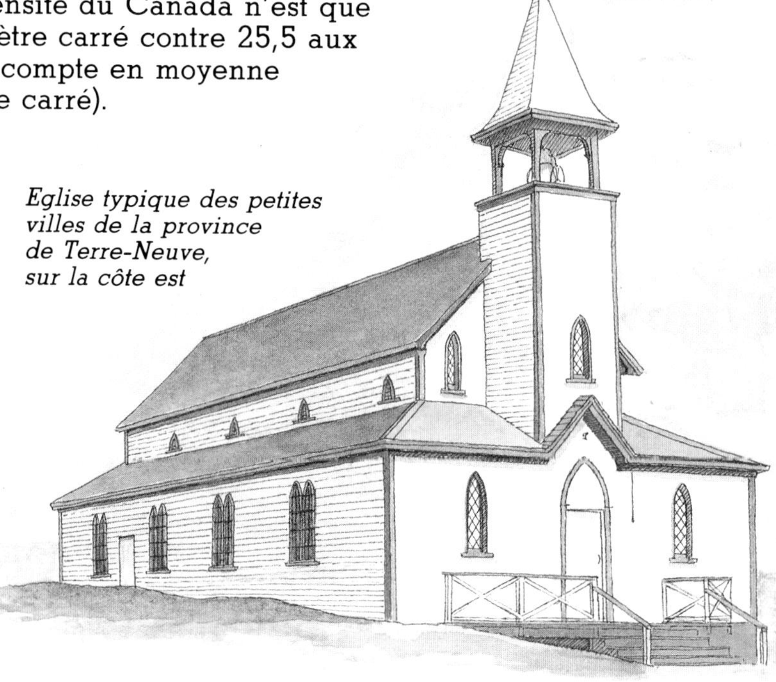

Eglise typique des petites villes de la province de Terre-Neuve, sur la côte est

Les Inuits
Les Inuits (que les étrangers appellent Esquimaux) vivent dans le Nord canadien depuis des siècles (voir page 26). Leur mode de vie a bien sûr considérablement changé : ils habitent souvent aujourd'hui dans des maisons équipées du chauffage central et pourvues du confort moderne. Certains gagnent encore leur vie en chassant les animaux sauvages dont ils vendent la fourrure. D'autres travaillent dans les petites villes du Nord. Ces Inuits des territoires du Nord-Ouest sont en train de charger leurs scooters des neiges et leurs traîneaux avant de partir pour la dernière chasse de la saison, à la fin du mois de mai.

LES PREMIERS CANADIENS

Venus de l'est de l'Asie, les Indiens furent les premiers à peupler le Canada, il y a plus de 20 000 ans. A cette époque, une bande de terre ferme joignait la Sibérie à l'Alaska. Ils descendirent tout d'abord vers le sud, le long de la côte ouest de l'Amérique du Nord. Puis, il y a environ 12 000 ans, ils se répandirent à l'est et au nord lorsque les glaciers de la dernière glaciation fondirent. Ces peuples vivaient de la chasse au bisons, de la pêche et de la cueillette.

Les Vikings, venus d'Islande et du Groenland, furent les premiers européens à mettre le pied au Canada, vers le XIe siècle. Ils furent suivis par des marins, des explorateurs et des marchands, venus de France, du Portugal, d'Espagne et de Grande-Bretagne. Les derniers étaient à la recherche de nouvelles zones de pêche ou de nouvelles terres à conquérir pour leurs rois. Ils voulaient aussi trouver une nouvelle route vers l'Extrême-Orient, le « passage du Nord-Ouest ».

Au cours du XVIIe siècle, le contact avec les Européens provoqua de grands changements dans le mode de vie des Indiens. Peu à peu, certains abandonnèrent la chasse aux bisons pour chasser les animaux à fourrure. Ils échangeaient en effet ces fourrures contre des chevaux, des ustensiles de cuisine, des armes à feu et toutes sortes d'objets.

La porte du Nouveau Monde
A une époque située entre 40 000 et 20 000 ans avant notre ère, un pont de terre ferme couvert de toundra, *la Béringie*, reliait la Sibérie et l'Alaska. Des peuplades asiatiques passèrent en Béringie et se répandirent en Amérique du Nord. Progressivement, le niveau de la mer monta et les eaux recouvrirent cette terre pour former l'actuel détroit de Béring.

Les puissants Blackfoot
Les *Blackfoot* étaient les indiens les plus redoutables de la région des Plaines. Leur nom *(Blackfoot :* Pieds Noirs) vient des taches de cendres qu'ils avaient sur leurs mocassins. Excellents chasseurs, ils avaient aussi une technique particulière de chasse : ils précipitaient des troupeaux entiers de bisons du haut de falaises vers lesquelles ils les avaient rabattus. A l'origine, les *Blakfoot* poursuivaient leurs proies à pied. Les chevaux ne furent introduits au Canada qu'aux alentours de 1730.

Duck,
chef de la tribu Blackfoot

Les Indiens Canadiens
Lorsque les explorateurs blancs débarquèrent au Canada, un grand nombre de peuples Indiens y vivaient. Les historiens ont identifié plus de 50 langues indiennes différentes.
Sur la photo, des peaux sèchent à l'extérieur d'une tente-abri ou *teepee*, qui est encore l'habitation de beaucoup de familles indiennes vivant dans les réserves.

Les totems
Pendant des milliers d'années, les Indiens de la côte du nord-ouest ont réalisé de magnifiques sculptures, bijoux et tissages. Beaucoup de leurs dessins comportent des cercles, des carrés et autres figures géométriques. Les sculptures les plus connues sont les mâts des *totems* que les Indiens plantaient devant chez eux. La représentation d'animaux sur les totems avait une signification particulière en relation avec les ancêtres de la famille et de la tribu. Le mot *totem* vient du mot indien qui signifie *esprit protecteur*.

LES « VRAIS HOMMES »

Il y a environ 4 000 ans, de nouvelles populations arrivèrent au Canada. On pense qu'ils traversèrent le détroit de Béring en barques, et qu'ils gagnèrent ensuite l'est en longeant les côtes froides du Nord. Ce sont les Indiens Algonquin de l'est du Canada qui les surnommèrent Esquimaux, ce qui signifie « mangeurs de viande crue. » Le nom qu'ils se donnent dans leur propre langue est *Inuit*, qui signifie les « vrais hommes ».

Autrefois, les *Inuits* vivaient en nomades, se déplaçant d'un lieu à un autre, pêchant le phoque, le morse et la baleine, chassant le caribou ou l'ours blanc. De nos jours, ils ont presque entièrement abandonné leur ancien mode de vie. Le gouvernement canadien a acheté des terres qui leur appartenaient pour en extraire les ressources minières et le pétrole. Certains *Inuits* travaillent dans ces industries mais beaucoup d'entre eux sont au chômage. Le gouvernement canadien a récemment pris des mesures pour permettre aux *Inuits* de conserver leurs coutumes et leur mode de vie traditionnel.

Des maisons de glace
Le nom *Igloo* signifie *chez soi* en langue inuit ; il désigne l'abri de glace qui protégeait du long hiver arctique. De véritables camps d'igloos étaient établis sur la banquise qui recouvre la mer dans le Grand Nord. En hiver, les chasseurs ouvraient des trous dans la glace et harponnaient les phoques qui venaient respirer à la surface. Avec la peau de phoque, ils faisaient des bottes, ils fabriquaient des pantalons en peau de caribou et des gilets en fourrure d'ours. Aujourd'hui, la plupart des Inuits achètent leurs vêtements dans des petits magasins ou des comptoirs de vente.

Le tupiq inuit (tente d'été)

Le campement d'été
L'été, beaucoup d'Inuits canadiens chassaient les hordes de caribous. Ils pêchaient aussi, à l'aide de filets, les saumons et d'autres poissons qui remontent les rivières au moment de la reproduction. Pendant la belle saison, ils vivaient habituellement dans des tentes (comme celle-ci), faites de peaux tendues sur un cadre de bois ou d'os de baleine.

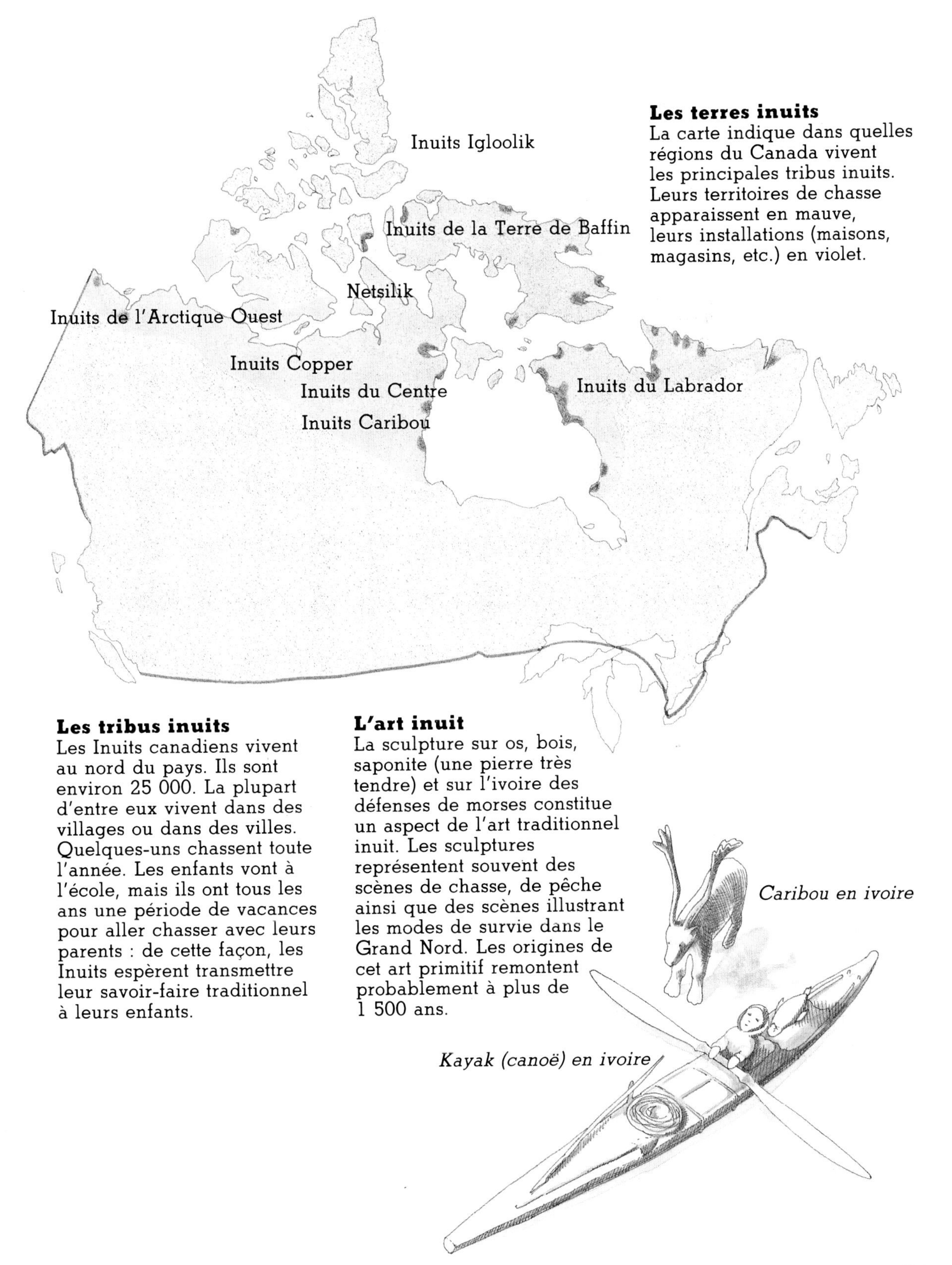

Les terres inuits
La carte indique dans quelles régions du Canada vivent les principales tribus inuits. Leurs territoires de chasse apparaissent en mauve, leurs installations (maisons, magasins, etc.) en violet.

Les tribus inuits
Les Inuits canadiens vivent au nord du pays. Ils sont environ 25 000. La plupart d'entre eux vivent dans des villages ou dans des villes. Quelques-uns chassent toute l'année. Les enfants vont à l'école, mais ils ont tous les ans une période de vacances pour aller chasser avec leurs parents : de cette façon, les Inuits espèrent transmettre leur savoir-faire traditionnel à leurs enfants.

L'art inuit
La sculpture sur os, bois, saponite (une pierre très tendre) et sur l'ivoire des défenses de morses constitue un aspect de l'art traditionnel inuit. Les sculptures représentent souvent des scènes de chasse, de pêche ainsi que des scènes illustrant les modes de survie dans le Grand Nord. Les origines de cet art primitif remontent probablement à plus de 1 500 ans.

Caribou en ivoire

Kayak (canoë) en ivoire

LE CANADA COLONISÉ

Dès le début du XVIIe siècle, les Européens avaient pris l'habitude de se rendre régulièrement sur la côte est du nord de l'Amérique. Leurs bateaux pêchaient dans les eaux côtières poissonneuses et les explorateurs pratiquaient le commerce des fourrures avec les Indiens.

Plusieurs pays européens, la France en particulier, souhaitèrent bientôt dominer ce riche territoire. Le roi, Henri IV, envoya donc des volontaires pour explorer le Canada et s'établir sur ces terres qu'ils baptisèrent *la Nouvelle France*. En 1608, l'explorateur Samuel de Champlain fonda la ville de Québec. Ensuite, en 1642, les Français fondèrent Montréal.

Les colons britanniques avaient également des vues sur le territoire canadien : en 1670, un groupe de marchands anglais créa la Compagnie de la baie d'Hudson pour concurrencer les commerçants français. Commença alors une longue lutte entre la France et l'Angleterre pour le contrôle de cette région et de ses richesses (le commerce des fourrures était notamment très lucratif). En 1759, les soldats britanniques, sous le commandement du général Wolfe, s'emparèrent de la ville de Québec. En 1760, ils prirent Montréal et, en 1763, les deux pays signèrent le traité de Paris qui donnait à la Grande-Bretagne le contrôle des colonies nord-américaines.

Le Haut Fort Gary, au campement de Red River, 1870

Vers le Pacifique
En 1789, un marchand écossais, Alexander Mackenzie, partit vers le Nord en suivant le fleuve qui porte aujourd'hui son nom. Il espérait atteindre le Pacifique, mais son voyage se termina dans les glaces de l'océan Glacial Arctique. Quatre ans plus tard, il franchit les montagnes Rocheuses en suivant des cours d'eau qui allaient vers l'Ouest et parvint à l'actuelle Bella Coola, en Colombie britannique. Il fut le premier européen à atteindre la côte ouest du Canada.

La colonie de Red River
En 1812, un groupe de pionniers entreprit une expédition qui les mena de la baie d'Hudson à la région de l'actuelle ville de Winnipeg. Au cours du voyage, ils commercèrent avec les Indiens et parvinrent finalement en un lieu qu'ils appelèrent *Red River*. Ils y créèrent une petite communauté agricole et établirent un réseau de commerce. La colonie de Red River fut l'une des premières implantations européennes dans la région des prairies.

L'usine de York appartenant à la Compagnie de la baie d'Hudson (au sud-ouest de cette baie d'Hudson)

La Compagnie de la baie d'Hudson

Cette Compagnie fut créée en 1670 par le prince Rupert, cousin du roi Charles II d'Angleterre. Elle avait pour but l'organisation du commerce des fourrures avec les Indiens vivant près des fleuves de la baie d'Hudson. En 1783, des marchands écossais fondèrent la Compagnie du Nord-Ouest. Les deux compagnies entrèrent rapidement en concurrence et rivalisèrent pour explorer la partie ouest du Canada. Aujourd'hui, la Compagnie de la baie d'Hudson est encore la plus importante société de commerce de fourrures au Canada. Elle vend aussi du gaz et du pétrole et possède de nombreux magasins.

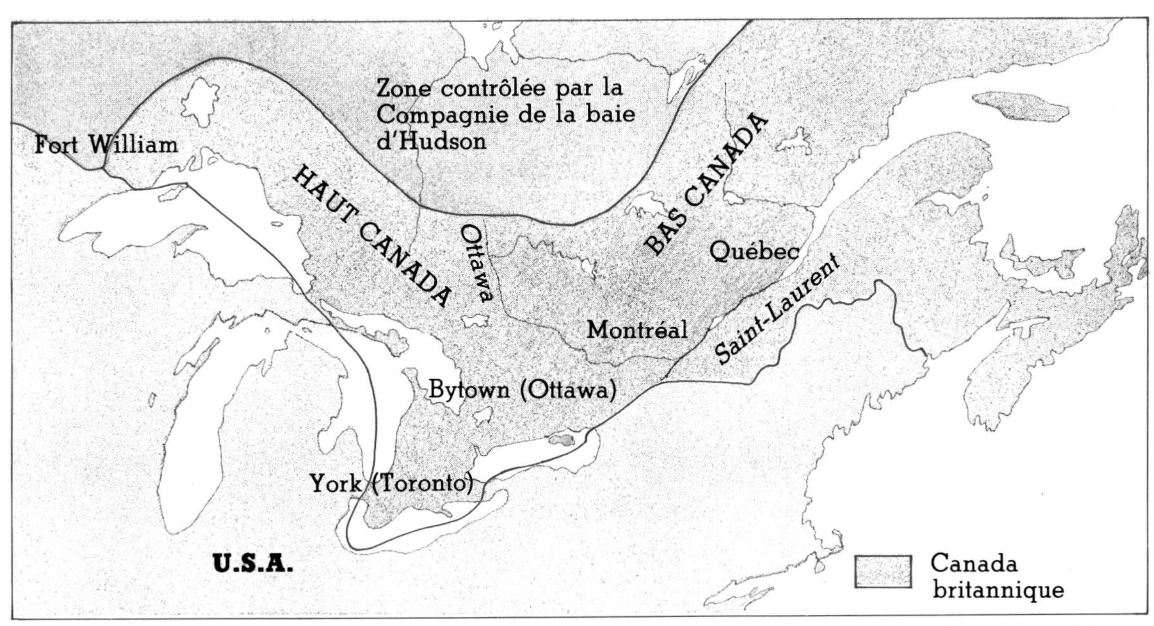

Le Canada dans les années 1800

En 1791, par un acte du parlement britannique, la Grande-Bretagne divisa son territoire colonial en deux zones : le *Haut Canada*, à l'ouest, et le *Bas Canada*, à l'est. Le fleuve Ottawa servait de ligne de démarcation. Les colons français établis au Bas Canada purent vivre comme ils le souhaitaient, en conservant leur langue, leurs traditions et leur religion (le catholicisme).

LE CHEMIN DE L'INDÉPENDANCE

Dans les années 1850, les Canadiens exprimèrent de plus en plus ouvertement leur désir d'indépendance vis-à-vis de la tutelle du gouvernement britannique. Celui-ci pensa qu'en accordant plus d'autonomie au Canada tout en le maintenant au sein de son Empire, il donnerait à l'Amérique du Nord britannique plus de poids face aux États-Unis. Le dominion canadien fut créé le 1er juillet 1867 : Sir John Macdonald en devint le Premier ministre. A partir de cette date, le Canada renforça peu à peu son indépendance.

Parallèlement le nouveau gouvernement accueillit des immigrants venus par centaines de milliers du monde entier afin de peupler son immense territoire. Le développement des chemins de fer reculait les frontières de l'Ouest et du Nord. De nouvelles villes surgissaient partout où l'on découvrait des gisements de pétrole, de charbon ou de minerais.

Le développement industriel canadien commença vers 1920. Pendant la Seconde Guerre mondiale, les usines canadiennes fabriquèrent des quantités d'armes et de machines pour les Alliés, ce qui permit au Canada de devenir un pays industriel de première importance.

Dans les années 1960, les Canadiens constatèrent qu'ils exportaient une grande part de leurs matières premières aux États-Unis, et que leur industrie de transformation restait insuffisamment développée. Ils dépendaient ainsi trop de leur puissant voisin américain. Quand le canadien français Pierre Trudeau prit le pouvoir en 1968, son gouvernement encouragea les Canadiens à travailler pour avoir une économie plus forte et plus indépendante. Hostile aux indépendantistes québécois, Pierre Trudeau œuvra pour le rapprochement des communautés anglophone et francophone.

Pierre Trudeau, Premier ministre Canadien de 1968 à 1979, et de 1980 à 1984

Sir John Macdonald, Premier ministre Canadien de 1867 à 1873, et de 1878 à 1891

Le Nouveau Canada
Le dominion canadien fut créé par *l'Acte Britannique de l'Amérique du Nord* (The British North America Act) de 1867. Cet acte donnait au gouvernement canadien d'Ottawa les pouvoirs en matière de fiscalité, de commerce, de défense nationale et de justice. Chaque province canadienne devenait autonome en matière d'éducation, de logement, de santé et d'exploitation des ressources naturelles.

Les partis politiques
Il y a actuellement trois principaux partis politiques au Canada. Le Parti libéral et le Parti conservateur existent depuis le XIXe siècle, leur formation date de la création du dominion canadien.
Le nouveau Parti démocrate, socialiste, fut créé dans les années trente, juste après la crise qui frappa la région des prairies, au moment de la Grande crise économique mondiale durant laquelle des millions de gens perdirent leurs terres et leurs moyens de subsistance.

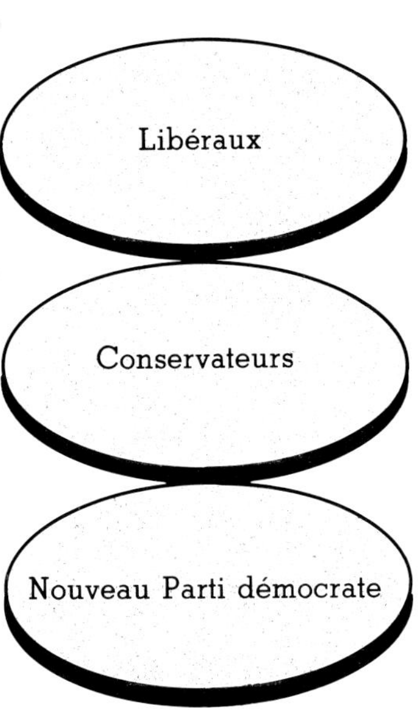

La crise du *dustbowl* (le « bassin de poussière »)
Dans les années trente, le sol des prairies, fragilisé par des méthodes de cultures imprudentes, fut détruit par l'érosion éolienne (due au vent). Des régions devinrent presque désertiques, des milliers de familles, comme celle que l'on voit ci-dessus, perdirent leurs moyens de subsistance.

120 ans d'histoire

1867 Les provinces de Québec, Ontario, Nouvelle Écosse, Nouveau Brunswick, se réunissent pour former le dominion canadien.

1870 Adhésion du Manitoba au dominion canadien.

1871 Adhésion de la Colombie britannique.

1873 Adhésion de l'île du Prince Édouard.

1885 Achèvement de la construction du chemin de fer canadien du Pacifique reliant les deux côtes.

1905 Adhésion de l'Alberta et du Saskatchewan au dominion canadien.

1914-1918 Première Guerre mondiale. Le Canada envoie des troupes en Europe

1939-1945 Les troupes canadiennes prennent part à la Deuxième Guerre mondiale.

1949 Adhésion de Terre-Neuve, la dernière province, au dominion.

1980 Référendum organisé au Québec francophone. « Le Québec doit-il devenir indépendant ? » La majorité (59 %) des électeurs répond « Non ».

1982 Vote de l'acte constitutionnel qui permet au Canada de modifier sa constitution sans l'intervention du Parlement britannique.

UN BOURG DEVENU CAPITALE

C'est en 1858, alors que le Canada était encore une colonie britannique, que la reine Victoria choisit de faire d'Ottawa la capitale. Dans la région, une tribu indienne, les Odawas, vivait du commerce des fourrures. Ils donnèrent leur nom à la future capitale qui s'appelait auparavant Bytown. Bytown n'était alors qu'une implantation coloniale isolée, de 7 500 habitants, construite sur les rives du fleuve Ottawa, à l'extrémité du canal Rideau : la navigation et les échanges y étaient intenses. De plus, Bytown était située à la frontière entre le Haut Canada, peuplé d'anglophones, et le Bas Canada, peuplé de francophones. Bytown devint Ottawa en 1854.

La capitale compte actuellement plus de 800 000 habitants. C'est une très belle ville avec de nombreux parcs, espaces verts et musées. Plus de 60 kilomètres de pistes cyclables traversent la ville et vont jusque dans les faubourgs. On peut se déplacer à bicyclette en toute sécurité et la pollution automobile y est ainsi réduite.

Le canal Rideau est désormais réservé aux promenades touristiques et aux sports aquatiques. Lorsqu'il est gelé, en hiver, il sert de patinoire. C'est la plus longue patinoire du monde puisqu'elle s'étend sur plus de 9 kilomètres.

Le gouvernement canadien
Le Parlement canadien comprend deux Chambres : la Chambre des communes et le Sénat. La Chambre des communes est le principal organe gouvernemental. C'est le chef du parti politique, ayant la majorité à la Chambre des communes, qui devient Premier ministre. Le Sénat a un droit de « contrôle » sur la Chambre des communes. Ses membres, nommés par le Gouverneur général, sont généralement choisis en fonction de leur expérience politique.

Le canal Rideau gelé

La colline du Parlement
Le palais gouvernemental a pour site la colline du Parlement *(Parliament Hill)* qui domine le fleuve Ottawa. Construit en 1866, c'est aujourd'hui l'un des monuments les plus célèbres du Canada. Au centre se trouve la tour de la Paix, haute de 95 mètres.

La fête des tulipes
Une « fête des tulipes » a lieu tous les ans à Ottawa au mois de mai. Le gouvernement hollandais envoie en effet plus de trois millions de tulipes pour décorer la ville en guise de remerciement pour l'aide apportée à la reine Juliana et à sa famille, exilées quelque temps au Canada pendant la Seconde Guerre mondiale.

ARCHITECTURE ET ARTS

La plupart des grandes villes canadiennes sont construites selon un plan en quadrillage. Les rues parallèles sont bordées de gratte-ciel et de centres commerciaux modernes. Les petites villes et les villages ont mieux su conserver leurs bâtiments anciens, vieilles maisons, gares, mairies, églises et garder une atmosphère de vie traditionnelle.

Les Canadiens ont actuellement plus de loisirs qu'autrefois. Ils sont donc plus nombreux à fréquenter les cinémas, les théâtres et les salles de concerts. Dans le passé, le Canada se contentait d'accueillir des spectacles créés en Europe ou aux États-Unis. Désormais, le talent des artistes canadiens est apprécié autant sur place qu'à l'étranger. Chaque année, des dizaines de festivals importants, musique, théâtre, spectacles folkloriques... témoignent de la vitalité de la culture canadienne.

Dans les années soixante, le gouvernement a institué le Conseil canadien. Cet organisme distribue des aides financières aux personnes et aux organisations qui travaillent dans le domaine culturel : édition, musique, cinéma, télévision, théâtre et danse.

Les stars canadiennes
Beaucoup de stars de cinéma, de musiciens et d'artistes célèbres que les Européens croient américains sont en fait canadiens. Parmi eux, on peut citer les acteurs Donald Sutherland, le pianiste Oscar Peterson, le chanteur de rock Bryan Adams, la danseuse Lynn Seymour, sans oublier les grands disparus comme le pianiste Glen Gould.

La ville traditionnelle et l'architecture moderne
Dans les villes canadiennes, beaucoup de grandes maisons individuelles et de bâtiments publics datent de l'époque victorienne (entre 1850 et 1900). Certaines rues ressemblent à celles des villes anglaises, alors que d'autres rappellent plutôt les rues des villes américaines. La photo ci-dessus représente les tours modernes qui s'élèvent dans le ciel de Toronto.

Une salle de spectacle
Le Roy Thompson Hall de Toronto, construit en forme de dôme, est à la fois une salle de concert et un théâtre. C'est un exemple de l'architecture du Canada d'aujourd'hui.

Les Indiens dans la peinture canadienne
Paul Kane, l'un des plus célèbres peintres canadiens, a peint de nombreuses scènes de la vie quotidienne des Indiens : chasses aux buffles et images de la vie dans les villages. Il a réalisé la plupart de ses œuvres entre 1845 et 1870. Ce tableau de 1847 représente des Indiens pêchant près des chutes de Colville sur le fleuve Columbia.

LES ÉCOLES CANADIENNES

Au Canada, l'école est gratuite et obligatoire de 6 à 16 ans. Dans certaines provinces, les enfants de 4 à 6 ans vont à l'école maternelle. Les écoles publiques sont mixtes, comme en France.

Chaque province a son propre système d'éducation. Dans certaines régions, protestants et catholiques fréquentent des écoles différentes. Les cours sont en anglais, sauf au Québec où les élèves peuvent toutefois choisir l'enseignement en anglais s'ils le désirent. Ils apprennent alors le français en deuxième langue.

La plupart des jeunes enfants vont à l'école de leur quartier. Mais ceux qui habitent à la campagne doivent souvent faire plusieurs kilomètres en bus pour se rendre en classe. Dans les régions isolées et éloignées des établissements scolaires, les enfants sont souvent envoyés dans des internats. Ils ne rentrent chez eux que pour le week-end.
Dans les établissements secondaires et supérieurs qui peuvent accueillir jusqu'à 2 000 élèves ou plus, on enseigne un grand nombre de matières littéraires et scientifiques comme en France.
En sortant de l'école secondaire, vers l'âge de 17 ou 18 ans, les étudiants peuvent entrer à l'université ou dans une école professionnelle.

L'école pour tous
Le gouvernement canadien a ouvert des écoles spéciales pour des enfants indiens et inuits pour leur permettre de s'instruire tout en gardant leur mode de vie traditionnel. Dans les provinces de la Prairie, plus de 20 000 enfants indiens fréquentent ces écoles. Elles sont habituellement à l'intérieur des réserves indiennes, mais elles gardent un contact étroit avec les villes environnantes. Les enfants y reçoivent un enseignement très ouvert. Ils suivent le même programme que les autres enfants canadiens mais apprennent en plus ce qui concerne leur propre histoire et leur culture.

Enfants inuits à l'école du village

Les études payantes
Les études à l'université et dans les « grandes écoles » sont payantes. Certains étudiants bénéficient de bourses qui leur permettent de payer leurs droits d'inscription, d'autres obtiennent des prêts d'État. Un grand nombre d'étudiants sont aidés financièrement par leurs parents mais certains sont obligés de travailler pendant les vacances et les week-ends afin de gagner l'argent nécessaire pour payer leurs études. On voit ici l'université de Queen (Queen's University) à Kingston, dans l'Ontario.

Points de repère

- Il y a environ cinq millions d'écoliers et 270 000 professeurs au Canada.
- Chaque classe compte en moyenne 17 élèves.
- Les plus jeunes ont un seul instituteur pour toutes les matières.
- Vers l'âge de 10 ou 11 ans, les enfants ont un professeur par matière.
- 800 000 étudiants environ fréquentent les universités et les écoles supérieures du Canada.

LA FAMILLE, LA VIE QUOTIDIENNE

Les Canadiens sont très attachés à la famille. Parents et enfants prennent généralement leurs repas ensemble. Même leurs études terminées, certains jeunes restent chez leurs parents pendant leurs premières années d'activité professionnelle, voire jusqu'à leur mariage.

Hommes et femmes sont égaux en droits dans le travail. Dans la pratique, l'évolution, comme c'est souvent le cas, est plus lente. Beaucoup de mères de famille travaillent.

Les Canadiens savent bien cuisiner et les produits alimentaires sont d'excellente qualité. Le steak avec des pommes de terre au four et une salade, accompagné de coca-cola ou de bière canadienne peut être considéré comme le repas ordinaire. Mais chaque région a ses spécialités. Dans les régions côtières de l'ouest et de l'est, les poissons et les fruits de mer sont très appréciés. Dans les prairies, les éleveurs produisent une excellente viande de bœuf.

Radio et télévision
Les Canadiens aiment beaucoup la radio et la télévision. Presque chaque famille dispose d'un poste de radio et d'un poste de télévision. Plus de la moitié des foyers canadiens possèdent même plusieurs récepteurs de télévision. Le Canadien passe en moyenne 25 heures par semaine à regarder la télévision et 20 heures à écouter la radio.

Une cuisine saine
L'énorme production de viande, de légumes, de fruits et de céréales de leur pays permet aux Canadiens de préférer les produits frais à la cuisine toute prête ou aux conserves. Une ou deux fois par semaine en moyenne, ils prennent leur repas à l'extérieur.

Se protéger du froid
Les deux tiers des Canadiens vivent dans des maisons individuelles, l'autre tiers dans des appartements. Les maisons doivent être construites de façon à supporter les températures très basses de l'hiver. Dans chaque maison, il y a le chauffage central, d'épaisses couches de matières isolantes pour protéger la toiture et les murs et des doubles vitrages aux fenêtres. Beaucoup de maisons ont un sous-sol qui peut servir d'atelier de bricolage, de cabinet de travail ou de salle de jeux l'hiver. Cette rue enneigée se trouve à Kingston, dans l'Ontario.

Cuisines du monde entier
La cuisine étrangère est bien représentée au canada, que ce soit dans les restaurants spécialisés, dans les magasins d'alimentation ou dans les boutiques de restauration rapide (ci-dessus, des restaurants étrangers à Montréal).

Spécialités régionales
En Colombie britannique, les spécialités sont la mousse de crabe, l'agneau à la sauce à la menthe, le fromage de cheddar, les cerises et les pêches. Dans la région des prairies, on prépare le ragoût *Chuckwagon*, le steak de buffle, le pâté de perdrix et la tarte *Saskatoon* à la crème. L'Ontario est célèbre pour ses truites, ses éperlans, ses navets, son maïs chaud et sa tarte aux pommes. Le Québec se distingue par sa soupe aux pois parfumée au jarret de porc, sa « tourtière » (tourte au hachis de porc), son canard à l'orange et ses crêpes au sirop d'érable. Les fougères cuites à la vapeur, les algues séchées, le maquereau mariné et les pâtisseries aux myrtilles se dégustent sur la côte est.

« Record d'épluchage ». Le gagnant est celui qui épluche son épi de maïs le plus vite.

SPORTS ET LOISIRS

Les importantes variations climatiques expliquent que l'on ne pratique pas les mêmes sports en été et en hiver.

Le foot-ball américain, la crosse canadienne et le base-ball ont beaucoup de succès l'été, auprès des adultes comme des jeunes. Une grande rivalité existe entre les équipes de l'est et celles de l'ouest du pays. Beaucoup de Canadiens apprécient également le tennis et les sports aquatiques. Presque tout le monde passe ses week-ends à proximité d'un lac, d'une rivière ou au bord de la mer. Les sports pratiqués sont surtout la voile, la natation et le surf. Les gens moins actifs jouent au golf ou pratiquent la pêche.

Les principaux sports pratiqués l'hiver sont le hockey sur glace et le basket-ball. Les équipes de hockey sur glace jouent aussi bien à l'extérieur que sur des patinoires couvertes. Les Canadiens comptent parmi les meilleurs joueurs mondiaux de hockey sur glace, les meilleurs patineurs et les meilleurs skieurs. Le pays possède de nombreux champions du monde et de nombreux champions olympiques dans ces catégories.

Les jeux olympiques de 1988

Les Jeux olympiques d'Hiver de Calgary, en février 1988, ont réuni plus de 1 500 athlètes venus de 34 pays. Un million et demi de spectateurs ont été accueillis par les deux mascottes des Jeux olympiques, les Ours *Hidy et Howdy.*

La glace comme terrain de jeu

Patiner est une seconde façon de marcher pour bien des Canadiens. Au Canada comme en Europe, les enfants jouent au foot-ball n'importe où et pratiquent le hockey sur glace sur le lac gelé le plus proche. Sur cette photo, deux bottes signalent les buts.

Les bungalows de vacances
Certaines familles canadiennes possèdent un bungalow pour les vacances, souvent près d'un lac (comme ici) ou sur la côte. Ils y passent les chaudes journées d'été, se promènent en forêt, font du bateau, des pique-niques et des « barbecues ».

Parties de pêche
Chaque région canadienne offre aux amateurs des possibilités de pêche différentes. Sur les côtes est et ouest, on pratique la pêche aux gros poissons de mer comme le thon rouge (ci-contre). Les rivières de la région du Saint-Laurent abondent en truites et en saumons. Dans les cours d'eau de l'Alberta, on trouve brochets, perches et truites.

Thons rouges : ils peuvent atteindre plus de 4 mètres de long

L'APPEL DE LA NATURE

Les Canadiens adorent la vie au grand air, peut-être à cause du calme et de la beauté de la nature de leur pays. Pendant les week-ends et les vacances, beaucoup d'entre eux quittent les villes pour profiter de la campagne et se reposer loin des tensions de la vie citadine et du travail au bureau ou à l'usine. Pendant très longtemps, des régions comme le Yukon restèrent pratiquement inaccessibles. Désormais, vacanciers, touristes et amoureux de la nature fréquentent assidûment ces régions éloignées. Les Canadiens sont de plus en plus nombreux à se rendre dans le Nord chaque année, pour tenter de retrouver le mode de vie des « pionniers ».

La Colombie britannique
Cette province est la plus occidentale du pays. L'économie y repose encore beaucoup sur l'exploitation forestière et l'agriculture. Le bûcheron fort et vigoureux est toujours le symbole du Canadien. On peut encore voir des bûcherons conduire les trains de bois flottants qui descendent les fleuves au débit rapide de la Colombie britannique. Les grandes villes de Victoria et Vancouver ne sont qu'à une courte distance de la nature la plus sauvage. Travail et loisirs s'effectuent au grand air. Le ski, les randonnées, la natation y sont plus populaires que le base-ball ou le basket.

Le ski – ski alpin et ski de fond – est un sport très développé en Colombie britannique

Un territoire « vide »
Dans les territoires du Nord-Ouest, la population est extrêmement clairsemée. Il n'y a que 50 000 habitants dans toute la région et environ 11 000 d'entre eux vivent dans la capitale, Yellowknife. Les Inuits et les Indiens constituent plus de la moitié de cette population. Ces chiens de traîneau et leurs conducteurs participent au *festival du caribou.*

LE CANADA DE DEMAIN

Le Canada moderne est une nation prospère avec un gouvernement démocratique stable. Mais le pays doit toutefois faire face à certaines difficultés.
La première est l'indépendance économique.
De nombreuses sociétés étrangères, en particulier américaines, ont investi dans les entreprises industrielles et commerciales canadiennes.
En retour, elles prennent évidemment une part des bénéfices et elles interviennent directement dans la gestion de ces entreprises. Les Canadiens aimeraient mieux contrôler leur activité économique.

D'autres problèmes n'ont toujours pas trouvé de solutions : que deviendra la langue française face à l'anglais ? Certains Canadiens français souhaitent que l'Ontario adopte le bilinguisme (qu'on y parle le français et l'anglais), comme au Québec et au Nouveau Brunswick. Faut-il donner au Yukon et aux territoires du Nord-Ouest le statut de province ? Que faire au sujet des revendications des Inuits et des Indiens qui affirment que les Européens ont volé et pillé leurs terres ? Que faire pour relancer la démographie ?

De nombreux signes permettent de penser que le Canada de demain pourra dépasser ces difficultés : la situation économique est bonne et le chômage diminue.

Points de repère

- Les produits exportés qui rapportent le plus au Canada sont les automobiles et les pièces détachées, le pétrole, le gaz naturel, le bois, le papier-journal et le blé.
- Les principales importations sont les moteurs et les pièces détachées, les ordinateurs, les produits chimiques et les métaux précieux.
- Le Canada exporte aux États-Unis, puis au Japon, en Grande-Bretagne, en U.R.S.S., en Chine, en Allemagne de l'Ouest et aux Pays-Bas.
- La plupart des produits importés proviennent des États-Unis, puis du Japon, de Grande-Bretagne, d'Allemagne de l'Ouest, de Corée du Sud et de France.

Le Québec libre ?
Le Québec a connu, dans les dernières décennies, des luttes, parfois très vives, en faveur de l'indépendance. Ces dernières années, cette revendication semble moins intense.
Ci-contre, un panneau de signalisation indique dans les deux langues l'arrivée au Québec.

Un commerce avec le monde entier
Le Canada essaie de développer ses échanges commerciaux avec d'autres pays que les États-Unis. Les sociétés canadiennes envoient des représentants en Europe, au Japon, en U.R.S.S. et en Amérique du Sud. Elles espèrent convaincre les hommes d'affaires de ces pays d'acheter davantage de produits canadiens. Les salons professionnels, tels ceux qu'organise le centre commercial mondial de Vancouver (photo de droite), attirent les acheteurs étrangers.

Développer l'industrie canadienne.
Au cours de ces dernières années, le gouvernement a accordé des subventions aux sociétés industrielles canadiennes, pour leur permettre de se moderniser et de développer la recherche. Les industries de pointe, comme l'informatique et l'électronique, sont en plein essor.

Visitez le Canada !
Les étrangers qui se rendent au Canada dépensent trois fois plus d'argent qu'il y a dix ans. Les devises qu'ils apportent constituent une source de revenu indispensable pour le pays. Le Canada est désormais l'un des dix premiers pays touristiques du monde. Les touristes y apprécient les sports de plein air et viennent profiter des paysages grandioses, comme celui que l'on voit sur cette photo.

INDEX

Sources des illustrations
Illustrations, Ann Savage
Photos (b = bas, c = centre, d = droite, g = gauche, h = haut) : Couverture hg Paul Phillips/Zefa, bg Damn/Zefa, hd Hunter/Zefa, bd Meyers/Zefa ; page 9 h Tourisme canadien, b Tourisme canadien ; page 10 Mary Evans Picture Library ; page 11 G Heilmann/Zefa ; page 13 h Tourisme canadien, b Tourisme canadien ; page 12 BPCC/Archives Aldus ; page 15 h Robert Estall, b K Kummels/Zefa ; page 17 h Robert Estall, b Robert Estall ; page 21 Tourisme canadien ; page 23 h Hunter/Zefa, b Sunak/Zefa ; page 25 Dr H Gaertner/Zefa ; page 26 Tourisme canadien ; page 28 h Mary Evans Picture Librairy, b BPCC/Archives Aldus ; page 32 Tourisme canadien ; page 33 h Robert Estall, b Tourisme canadien ; page 34 Danum/Zefa ; page 35 h Robert Estall, b BPCC/Archives Aldus ; page 37 Robert Estall ; page 38 Robert Estall ; page 39 Danum/Zefa ; page 40 Robert Estall ; page 41 Robert Estall ; page 43 h Tourisme canadien, b Tourisme canadien ; page 44 Robert Estall ; page 45 h Tourisme canadien, b Zefa.

Imprimé en Italie - Dépôt légal n° 6574/03/1990. Collection n° 32 - Édition n° 02. 16 / 58 32 / 7